Hermann Schiller

Die lyrischen Versmaße des Horaz

SALZWASSER
VERLAG

Hermann Schiller

Die lyrischen Versmaße des Horaz

1. Auflage | ISBN: 978-3-75250-245-9

Erscheinungsort: Frankfurt am Main, Deutschland

Erscheinungsjahr: 2020

Salzwasser Verlag GmbH, Deutschland.

Nachdruck des Originals von 1869.

Die

lyrischen Versmaße des Horaz.

Nach den Ergebnissen der neueren Metrik

für den Schulgebrauch

dargestellt

von

Hermann Schiller,
Professor am Lyceum zu Carlsruhe.

Leipzig,

Druck und Verlag von B. G. Teubner.

1869.

Vorwort.

〰〰〰

Ein Versuch, wissenschaftliche Ergebnisse für die Schule
nutzbar zu machen, bedarf wohl kaum der Rechtfertigung, wenn
damit wirklich ein Nutzen, d. h. Vereinfachung oder größere
Sicherheit des Lernens erzielt wird. Beide Zwecke hoffen diese
Blätter zu erreichen, da sie nicht theoretischen Reflexionen, sondern dem practischen Boden der Schule entstammen. Der Verfasser versuchte es seit Jahren, die Resultate der Westphal'schen
Metrik für Horaz zu verwerthen und an der Hand dieses epoche-
machenden Werkes auch für den lateinischen Dichter Kenntniß
und Erkenntniß der Kunstformen seiner poetischen Erzeugnisse zu
fördern. In die Ausgaben des Horaz, die für den Schulgebrauch
berechnet sind, haben die Westphal'schen Untersuchungen bis jetzt
noch keinen Eingang gefunden, eine um so befremdlichere Erscheinung, als sich wohl Niemand der Ueberzeugung verschließen
wird, daß durch jene Behandlung insbesondere die Kenntniß
der dramatischen Kunstwerke der Griechen, welche nicht bloß auf
unsern Schulen anerkanntermaßen noch sehr im Argen liegt,
eine bedeutende Förderung erfahren muß. Dieser Umstand möge
die Erscheinung des Schriftchens rechtfertigen! Für die syste-
matische Darstellung ist die Westphal'sche Metrik einzige Richt-
schnur gewesen; Neues bringt das Werkchen hierin also nicht.
Für die Charakterisirung und eingehendere Darstellung konnte
außer Roßbach-Westphal und der vortrefflichen Schrift Luc.
Müller's de re metrica poetarum latinorum nur weniges

hier und da zerstreute benutzt werden*). Daß die einzelnen Untersuchungen selbständig und soweit dies bei so detaillirten Dingen
verbürgt werden kann, genau geführt sind, wird eine selbst
oberflächliche Vergleichung mit den bisherigen Arbeiten zeigen.
Als Text liegt der Nauck'sche zu Grunde; wenn der Verfasser
auch häufig der conservativen Kritik dieses Gelehrten nicht bei-
zustimmen vermochte, so ist der Werth dieser Schulausgabe doch
so allgemein anerkannt und ihre Verbreitung eine so große, daß
manchfache Bedenken vor diesen Vorzügen zurücktraten. Alles
was in früheren Classen gelehrt wird, ist als bekannt voraus-
gesetzt, so z. B. die Cäsuren des Herameters und des jambischen
Trimeters. Daß auf die theilweise minutiösen Regeln über
Umfang und Stellung der Wörter in den Versen so gut wie
keine Rücksicht genommen wurde, wird bei der Bestimmung des
Schriftchens kaum Jemand tadeln. Für jeden belehrenden Wink,
jede Ergänzung und Berichtigung wird der Verfasser dankbar
sein. So möge denn die kleine Arbeit dazu beitragen, den
Blick für die classischen Kunstwerke des Drama's zu üben und
den Boden für die Kenntniß und Erkenntniß derselben vorzu-
bereiten.

---

*) Die interessante Schrift von W. Christ: Die Verskunst des Horaz,
kam mir erst während des Druckes zu. Wesentliche Aenderungen konnte
dieselbe nicht veranlassen.

Die lyrischen Versmaße des Horaz.

§. 1.

Mit der Benennung „lyrische Dichtungen des Horaz" bezeichnet man 4 Bücher Oden, den Seculargesang und ein Buch Epoden. Letztere gehören durchschnittlich einer früheren Periode an als erstere. Während man für die Abfassung der Epoden die Zeit zwischen dem 24. und 36. Lebensjahre des Dichters anzusetzen hat, werden die Oden und der Seculargesang in den Zeitraum zwischen dem 35. und 52. Lebensjahre fallen. Aus diesem Verhältnisse erklärt sich nicht bloß der reifere Inhalt der Oden, sondern auch ihre weit bedeutendere Vollendung. Letztere ist jedoch nicht mit einem Male vorhanden, sondern man kann mit ziemlicher Sicherheit die Entwickelung des Dichters an seinen Productionen fortschreitend nachweisen.

§. 2.

Die Oden wie der Seculargesang waren eigentlich dazu bestimmt, mit Musikbegleitung vorgetragen zu werden. Da aber um jene Zeit in Rom von Lectüre und Recitation ein mindestens eben so umfassender Gebrauch gemacht ward, wie von dem melischen Vortrag, so mußte der Dichter beiden Bedürfnissen Rechnung tragen.

§. 3.

Die Versmaße in den lyrischen Gedichten des Horaz sind nicht römischen Ursprungs, sondern von griechischen Vorbildern, hauptsächlich Archilochus und Alcäus, entlehnt. Da nun die Griechen der älteren Zeit nur für den melischen Vortrag dichteten, so erklärt sich aus dem im vorigen §. dargelegten Unterschiede die Fortentwickelung der griechischen Originale bei den

Römern. Das Bedürfniß der Recitation rief hauptsächlich das Streben nach festen Cäsuren und unwandelbaren Tacttheilen bezw. Silben hervor, welches den Griechen der besseren Zeit unbekannt ist.

§. 4.

Alle Oden und der Seculargesang sind in vierzeiligen Strophen abgefaßt. Absätze des Verses und Abschnitte des Sinnes und der Interpunction brauchen hierbei nicht zusammenzufallen. In diesen Strophen findet sich entweder derselbe Vers stets wiederkehrend angewendet (stichische Compositionen) oder die Strophe besteht aus 2 oder 3 verschiedenen Versen.

§. 5.

Eine besondere Gattung der aus 2 in steter Abwechselung wiederkehrenden Versen bestehenden (distichischen) Compositionen bilden die Epoden, eine Benennung, die erst von späteren Grammatikern herrührt, während Horaz selbst dieselben iambi genannt hat. Im engeren Sinne gehören hieher nur solche Verbindungen, in welchen auf einen längeren Vers ein kürzerer folgt. Man rechnet jedoch im weiteren Sinne auch Metra hierher, welche gerade die entgegengesetzte Anordnung zeigen (Epod. 11. 13). Das vierzeilige Strophengesetz findet auf diese Bildungen keine Anwendung.

§. 6.

Während in der modernen Liederdichtung die Tacttheile der Melodie und die natürlichen Quantitäten der Silben des Textes sich gegen einander gleichgültig verhalten, ist in der antiken, wo Dichter und Componist eine Person ist, Tact und Silbenmaß oder Rhythmus und Metrum nicht von einander zu trennen. Der musikalische Tact, der metrische Fuß, die Bewegungen des menschlichen Körpers im Tanze entstammen derselben Quelle; allen liegt derselbe abstracte Begriff, der Rhythmus, d. h. die in der

Bewegung sich zeigende Ordnung, zu Grunde, der sowohl in den Tönen der Musik als in den Lauten der Sprache und in den Bewegungen des Körpers zur Erscheinung kommt.

§. 7.

Derjenige Zeittheil, welcher ungefähr zur Hervorbringung einer kurzen Silbe erforderlich ist heißt More (χρόνος πρῶτος, mora). Eine Silbe, welche 2 solche Moren enthält, heißt lang. Die Vereinigung von Moren zu einem einheitlichen Ganzen heißt Fuß (πούς), wofür wohl richtiger, wie in der Musik, die Uebertragung durch „Tact" geschehen würde. Weniger als 3 und mehr als 5 Moren können zu einem Fuße nicht vereinigt werden; größere Gruppen lassen sich in diese kleineren zerlegen. Wie in jedem mehrsilbigen Worte eine stärker betonte Silbe das Uebergewicht über die anderen hat und gerade hiedurch die Verbindung der einzelnen Silben zur Einheit des Wortes möglich wird, so wird in jedem Fuße eine More durch stärkere Betonung über die andere hervorgehoben; sie beherrscht gleichsam die übrigen und hierauf beruht die Einheit des Fußes. Wir nennen denjenigen Theil, welcher den Hauptton trägt, Arsis, denjenigen, auf welchem der Nebenton haftet, Thesis, indem wir diese Benennungen von der Hebung und Senkung der Stimme hernehmen[1]). Wie nun durch das Uebergewicht einer More die Einheit des Fußes bewirkt wird, so wird durch das Uebergewicht eines Fußes über mehrere die Einheit der Verbindung mehrerer Füße oder der Reihe möglich. Die Arsis des ersten Fußes wird in diesem Falle zur Hauptarsis[2]) der Reihe, während die Arsen der übrigen Füße zu Nebenarsen herabsinken. Ursprünglich lauteten wohl alle Füße bei den Griechen, wie in der modernen Musik die Tacte, mit der Arsis an; da man aber schon frühe ebenfalls den Gebrauch des Auftactes (Anakrusis) kannte, und derselbe der Reihe ein eigenthümliches, schwungvolleres und energischeres Gepräge gibt, so wurden schon frühe solche Reihen besonders bezeichnet und selbst für die einzelnen Füße besondere Bezeichnungen gebraucht. Die Reihe z. B.

$$\cup \mid - \cup - \cup - \cup - \cup$$

ist eine trochäische Pentapodie mit Anakrusis; die Alten faßten aber die anlautende Anakrusis mit der folgenden Arsis zu einem Fuße zusammen und maßen nun fortlaufend nach Jamben und nannten die Reihe eine kataleftische jambische Hexapodie. Die Reihe ferner

$$\cup\cup \mid - \cup\cup - \cup\cup - \cup\cup$$

ist eine dactylische Tripodie mit 2silbigem Auftact; die Alten, die auch hier wieder von der Anakrusis an maßen, nannten die Füße Anapäste und die Reihe eine kataleftische anapästische Tetrapodie. Da der Unterschied der Benennung kein wesentlicher ist, so behalten wir die alte eingebürgerte Ausdrucksweise bei, ohne natürlich in jenen Bildungen etwas anderes als dactylische und trochäische Füße mit Anakrusis zu erkennen.

¹) Die Alten entlehnten die Ausdrücke von dem Erheben und Niedersetzen des Fußes; letzteres geschah durch den singenden, im Tanzschritte ziehenden Chor bei der Aussprache der Silben mit Hauptton, ersteres bei denen mit Nebenton. Arsis und Thesis bezeichnen also bei den Griechen gerade das Gegentheil wie heutzutage. Die neusten metrischen Werke gebrauchen wieder die Ausdrücke im alten Sinne.

²) Die Hauptarsis bezeichnen wir durch ″, die Nebenarsen durch ′.

§. 8.

Die alten Rhythmiker unterschieden 3 Tactarten — die also für die Metrik zu eben so viel Fußarten werden — welche, wenn man den Werth der More oder der kurzen Silbe gleich einer Achtelnote setzt, dem $^3/_8$, $^4/_8$, $^5/_8$ Tacte der neueren Musik gleichkommen. Dieselben sind:

1) γένος ἴσον (δακτυλικόν), genus par, in welchem Arsis und Thesis je 2 Moren enthalten, also die gleiche Zeitdauer haben (sich verhalten wie 1:1). Hieher gehören: Dactylus $-\cup\cup$, Anapäst $\cup\cup-$, Spondeus $--$, Proceleusmatikus $\cup\cup\cup\cup$.

2) γένος διπλάσιον (ἰαμβικόν) genus duplex, in welchem die Arsis 2, die Thesis eine More enthält, erstere also die doppelte Zeitdauer hat wie letztere (sich zu ihr verhält wie 2:1). Hieher gehören: Trochäus $\_\cup$, Jambus $\cup\_$, Tribrachys $\cup\cup\cup$, $\cup\cup\cup$ (je nachdem er Auflösung eines Trochäus oder Jambus ist, wechselt die Arsis).

3) γένος ἡμιόλιον (παιωνικόν) genus sescuplex, in welchem die Arsis 3, die Thesis 2 Moren enthält, die Arsis also anderthalbmal so groß an Zeitdauer ist als die Thesis (sich zu ihr verhält wie 3:2). Hierher gehören: Kretiker $\_\cup\_$, und seine Auflösungen und Bacchius $\cup\_\_$.

Nur die ersten beiden Rhythmengeschlechter kommen für die Horazischen Versmaße in Betracht.

§. 9.

Nach diesen beiden Geschlechtern theilen wir die Versmaße des Horaz in folgende Abtheilungen:

1) Einfache Metra des dactylischen Rhythmengeschlechtes. Die Reihen derselben bestehen nur aus Dactylen und Spondeen.

2) Einfache Metra des jambisch = trochäischen Rhythmengeschlechtes. Die Reihen bestehen entweder rein aus Jamben oder rein aus Trochäen, für welche unter gewissen Verhältnissen der irrationale Spondeus eintritt.

3) Zusammengesetzte Metra des dactylischen oder des jambisch=trochäischen Rhythmengeschlechtes.

Dactylen und Trochäen werden mit einander verbunden

a) Selbständige dactylische und selbständige trochäische Reihen werden mit einander verbunden: Dactylo=Trochäen.

b) Dactylische und trochäische Füße werden in derselben Reihe verbunden: Logaöden.

1. Einfache Metra des dactylischen Rhythmengeschlechts.

§. 10.

Wenn mehrere dactylische Füße mit einander verbunden werden und der erste Dactylus die Hauptarsis trägt, so entsteht eine dactylische Reihe. Jeder Fuß (πούς) bildet hier ein selbständiges Glied, ein μέτρον der Alten; daher kommt es, daß bei den dactylischen Reihen die Benennung sowohl nach der Zahl der πόδες als auch der μέτρα gewählt wird, und die Ausdrücke Tripodie und Trimeter, Tetrapodie und Tetrameter ꝛc. Reihen von ganz gleicher Größe bezeichnen. Die kleinste Reihe ist die Dipodie, die größte die Pentapodie; größere Reihen als diese sind zusammengesetzt; z. B. der Hexameter aus 2 Trimetern. Die am frühesten gebrauchte Reihe ist die Tripodie, aus der durch Zusammensetzung die Hexameter und der Pentameter entstanden sind; doch ist bei dem häufigen Gebrauch des Hexameters das Bewußtsein der Zusammensetzung aus 2 Reihen allmählich geschwunden.

Die Arsis ruht in den Dactylen stets auf der Länge, die Hauptarsis der Reihe auf der Länge des ersten Fußes. An Stelle des Dactylus kann principiell überall der ihm rhythmisch und metrisch gleiche Spondeus eintreten; die Praxis hat jedoch hier gewisse Beschränkungen geschaffen, wodurch namentlich das Erscheinen des Spondeus im 5. Fuße des dactylischen Hexameters bei den Römern verhältnißmäßig selten wird. Das Verfahren, die zwei Kürzen des Dactylus durch eine Länge auszudrücken, heißt Contraction. Der schließende Fuß kann wie im Inlaute Dactylus oder Spondeus sein. In letzterem Falle kann jedoch die auslautende Länge durch eine Kürze vertreten werden, weil der noch übrige kurze Tacttheil durch die nothwendigerweise zwischen dem Vortrage des einen und des folgenden Verses entstehende Pause ersetzt wird; ging der vorhergehende Vers auf eine Länge aus, ſo vermochte durch Aushalten derſelben die Stimme für den folgenden Vers die nöthige Kraft zu ſammeln, ſo daß in dieſem Falle eine Pauſe nicht entſtand. Auf dieſe Weiſe erklärt ſich der öftere trochäiſche Auslaut dactyliſcher Reihen. In älteſter Zeit lauteten wohl alle Reihen mit einem vollſtändigen Fuße d. h. akatalektiſch aus, und es ſchloſſen ſich in regelmäßiger Abwechſe= lung Arſen und Theſen aneinander. Bald aber fing man an, die Theſis hie und da nicht mehr durch eine beſondere Silbe auszu= drücken, ſondern ihre Morenzahl durch eine 2zeitige Pauſe (πρόσθεσις ⋀) oder durch Dehnung der vorausgehenden Arſis zu einer 4zeitigen Länge (τονή ⌣) auszudrücken (in unſerer No= tenſchrift ♩♪ oder ♩). Dieſe Unterdrückung der Theſis beſchränkt ſich bei den dactyliſchen Reihen auf den Auslaut; die Reihe heißt in dieſem Falle katalektiſch.

‒ ⌣⌣ ‒ ⌣⌣ ‒ ⌣⌣ Akatalektiſche Reihe (Tripodie).

‒ ⌣⌣ ‒ ⌣⌣ ‒ ⋀ Katalektiſche Reihe mit Pauſe.

‒ ⌣⌣ ‒ ⌣⌣ ⌣ Katalektiſche Reihe mit Dehnung der Arſis.

‒ ⌣⌣ ‒ ⌣⌣ ‒ ⋀ ‒ ⌣⌣ ‒ ⌣⌣ ⌣ ⋀ Elegiſcher Pentameter, d. h. 2 katal. Tripodien.

Neben der vierzeitigen Meſſung der Dactylen (⌣ ♪♪ = 4) machte ſich ſchon frühzeitig eine dreizeitige geltend, wodurch der Fuß an Morenzahl dem diplaſiſchen Rhythmengeſchlechte gleich= kam und Verbindungen zwiſchen beiden Geſchlechtern rhythmiſch und metriſch möglich wurden. Dieſe Meſſung nennt man kyk= liſch [1]. Sie beſteht darin, daß die Arſis nur als 1½ Moren enthaltend betrachtet wurde, die erſte Kürze der Theſis ½ More zuertheilt bekam, — ſie wurde brevi brevior — während die 2. Kürze ungeſchädigt blieb (1½ ½ 1 = 3). Practiſch läßt ſich dieſe Meſſung auf die zuſammengeſetzten trochäiſch=dactyliſchen Metra beſchränken.

[1] κύκλιοι sc. δάκτυλοι von dem rollenden Gange dieſer Verſe.

§. 11.

Dactylische Reihen finden sich bei Horaz in folgenden Verbindungen:

I. Dactylischer Hexameter und katalektische dactyl. Tripodie abwechselnd zur 4zeiligen Strophe verbunden. (1. archilochisches Versmaß.) Od. 4, 7.

$$\underline{}\,\overline{\smile\smile}\,\underline{}\,\overline{\smile\smile}\,\underline{}\,\|\,\overline{}\,\overline{\smile\smile}\,\underline{}\,\overline{\smile\smile}\,\underline{}\,\smile\smile\,\underline{}\,\overset{\wedge}{\smile}$$

$$\underline{}\,\overline{\smile\smile}\,\underline{}\,\smile\smile\,\underline{}\,\bar{\wedge}$$

Der Character des ersten archilochischen Versmaßes, das nach Archilochus, dem wahrscheinlichen Erfinder desselben, seinen Namen trägt, ist mäßige Bewegung und Schwermuth. Der ruhige Gang des Hexameters sinkt in den kurzen Tripodieen mit Pausen zur Muthlosigkeit. Die Schilderung des Erwachens in der Natur wird von dem Gedanken der Flüchtigkeit und Nichtigkeit des Menschenlebens beherrscht.

Die rhythmische Anlage ist sehr gleichmäßig. 3 Tripodieen bilden die Periode, welche am Ende durch eine zweizeitige Pause abgesetzt ist.

In 14 Hexam. findet sich der Spond. 12mal an 4., 7mal an 3., 4mal an 2. und 6mal an 1. Stelle, niemals an der 5. Der Auslaut ist 10mal spondeisch, 4mal trochäisch; die Cäsur ist durchgehends Penthemimeres. Die Tripodie ist stets rein bactylisch.

II. Dactylischer Hexameter und dactylische Tetrapodie mit spondeischem (trochäischem) Auslaut in Od. 1, 7. 28 zu vierzeiligen Strophen, in Epod. 12 epodisch verbunden.

(Alkmanisches Versmaß.)

Od. 1, 7. 28. Epod. 12.

$$\underline{}\,\overline{\smile\smile}\,\underline{}\,\overline{\smile\smile}\,\underline{}\,\|\,\overline{\smile\smile}\,\overline{}\,\overline{\smile\smile}\,\underline{}\,\smile\smile\,\underline{}\,\overset{(\,\underline{}\,)\,^{2)}}{\smile}\,\wedge$$

$$\underline{}\,\overline{\smile\smile}\,\underline{}\,\overline{\smile\smile}\,\underline{}\,\overline{\smile\smile}\,\underset{(\,\underline{}\,)}{\smile}\,\wedge$$

Der Charakter des alkmanischen — von Alkman benannten — Versmaßes ist ähnlich wie beim vorigen, doch kräftiger. Die Tetrapodie mit meist spondeischem Auslaut gibt dem würdigen Ernste des Hexameters einen passenden Abschluß. Die Epode zeigt diesen kräftigen Character des Versmaßes zu beißendem Hohne benutzt.

Die Periode besteht aus 2 Tripodieen und einer Tetrapodie; letztere unterbricht den gleichmäßigen Gang der ersteren und gibt dadurch dem Ganzen größere Beweglichkeit. In 47 Hexam. findet sich der Spond. 29 mal an 4., 29 mal an 3., 26 mal an 2., 17 mal an 1. Stelle. Von der 5. ist derselbe regelmäßig ausgeschlossen; denn er erscheint nur einmal (1, 28. 21) bei viersilbigem Eigennamen. Der Auslaut ist 28 mal spondeisch, 19 mal trochäisch. Die Cäsur ist 43 mal Penthem., nur 4 mal Hephthemimeres (1, 28, 15 u. 29, welche manchmal als Cäsur κατὰ τρίτον τροχαῖον aufgefaßt werden, sind nach horazischen Analogieen als Penthem. gezählt). In 47 Tetrapodieen steht der Spond. 16 mal an 2., 9 mal an 1. Stelle, nur einmal ausnahmsweise (1, 18, 2 bei Eigennamen) an 3. Der Ausgang der Tetrapodieen ist 32 mal spondeisch, 15 mal trochäisch. Der Hiatus 1, 28, 24 ist, weil in der 3. Arsis, zulässig. Die Tetrapodieen der Epode zeigen sehr selten Contractionen: nur 3 mal finden sich solche an 2. Stelle.

¹) Nur die Hauptcäsuren sind bezeichnet und zwar die gewöhnlichen durch 2 parallele senkrechte Striche, welche die Linie schneiden ‖, die nur vereinzelt erscheinenden durch Parallelstriche über der Linie ".

²) Nur selten und ausnahmsweise erscheinende Contractionen und Auflösungen sind durch Klammern bezeichnet.

2. Einfache Metra des jambisch = trochäischen Rhythmengeschlechts.

Im jambisch=trochäischen Rhythmengeschlechte, wo die Länge jedes Fußes ebenfalls die Trägerin der Arsis ist, können durch stärkere Betonung (Ictus) der ersten Arsis 2—6 Füße zu einer Reihe vereinigt werden. So entstehen 5 rhythmische Reihen: Dipodie, Tripodie, Tetrapodie, Pentapodie, Hexapodie; größere Reihen sind zusammengesetzt. Da bei diesem Rhythmengeschlechte wegen des geringen Umfanges der einzelnen Füße erst 2 πόδες ein μέτρον bilden, so fallen hier die Benennungen Dipodie und Dimeter, Tripodie und Trimeter u. s. w. nicht zusammen, sondern der Dimeter, Trimeter 2c. besitzt jedesmal den doppelten

Umfang der Dipodie, Tripodie 2c. Auch bei dem diplasischen Rhythmengeschlechte tritt schon frühzeitig der Fall ein, daß die Thesis nicht durch eine besondere Silbe ausgedrückt wird; man nennt dies Syncope der Thesis. Wie bei dem dactylischen Genus wird auch hier die letzte Thesis der Reihe zuerst von der Syncope getroffen und es entsteht auch hier in diesem Falle die katalektische Reihe. In der trochäischen katalektischen Reihe wird die auslautende Thesis syncopirt und die dadurch entfallende More durch einzeitige Pause (∧) oder durch Dehnung, beides nach bestimmten Gesetzen, ersetzt.

In der katalektisch=jambischen Reihe ist die letzte inlautende Thesis syncopirt und wird stets durch Dehnung der vorausgehenden Arsis zur 3zeitigen Länge ersetzt.

Akatal. troch. Dimeter ″‿⏑‿⏑‿⏑ katal. ″‿⏑‿⏑‿∧ Pause.

=   =   ″‿⏑‿⏑‿⏑ katal. ‿‿‿‿‿⏑ Dehnung

=   jamb.   =   ⏑″‿⏑‿⏑‿⏑ katal. ⏑″‿⏑‿⏑‿⏑ Dehnung.

Nur in den höheren Kunstformen der griechischen Dichtkunst findet auch im Inlaute der Reihen die Syncope der Thesis häufige Anwendung, und die Entdeckung dieses Gesetzes hat dort zu einer völligen Umgestaltung der metrischen Wissenschaft geführt.

Vor jeder Hauptarsis und jeder bedeutenderen Nebenarsis (d. h. der ersten Arsis jeder Dipodie) bedarf die Stimme für die folgende Anstrengung einer kurzen Sammlung, welche daher auf die diesen Arsen vorhergehenden Thesen trifft. Dadurch werden diese Thesen unwillkürlich etwas verlängert und es tritt daher metrisch häufig in diesem Falle der Spondeus ein, ohne daß der Rhythmus jedoch dadurch verändert werden darf. Um dies zu erreichen wurde die verlängerte Thesis nicht als 2 Moren enthaltend betrachtet, sondern nur $1\frac{1}{2}$ und heißt dann irrational oder mittelzeitig. Der ganze Fuß erscheint nun allerdings nicht mehr 3=, sondern $3\frac{1}{2}$zeitig; dieses Verhältniß hebt aber den Grundrhythmus nicht auf, sondern besitzt bloß die Kraft, densel=

ben an diesen Stellen zu dämpfen und zu hemmen (retardiren). Diese mittelzeitigen Thesen können stattfinden im Auslaute jeder trochäischen und im Anlaute jeder jambischen Reihe, da hier stets auf die Thesis eine Hauptarsis folgt; eben so im Inlaut vor der ersten Arsis einer jeden Dipodie. Für die bei Horaz gebrauchten jambisch=trochäischen Reihen genügt es, sich die geläufige Fassung zu merken, daß in trochäischen Reihen der (irrationale) Spondeus an den geraden Stellen, d. h. im 2., 4., 6. Fuße, in jambischen Reihen dagegen an den ungeraden Stellen, d. h. im 1., 3., 5. Fuße zuläßig ist. Im gewöhnlichen wie im irrationalen Tro=chäus und Jambus kann die Länge durch 2 Kürzen ausgedrückt werden — man nennt dies Auflösung —, wodurch Tribrachys, Anapäst und Dactylus entstehen; letztere beiden Füße können nur kyklisch gemessen werden.

§. 13.

Jambische und trochäische Reihen finden sich bei Horaz folgende:
III. Der jambische Trimeter (Senar), stichisch gebraucht.
(Jambisches Versmaß.)

Epod. 17. ◡ ´´ ◡ — ◡̆ ‖ ́ ◡ ◡ ‖ — ◡ ́ ◡ ◡ Λ‾
(— ◡◡)   (— ‖ ◡◡)
(◡◡◡) (◡ ◡◡) (◡ ◡◡)

Nur ein einziges mal bei Horaz verwendet. Der Character des jamb. Trimeters ist herber, den Angegriffenen schwer treffen=der Spott, wie Archilochus und Hipponax gegen ihre Feinde Lycambes und Bupalus schleuderten (Epod. 6, 13. 14.). Die häufige Anwendung der irrationalen Thesen (oft an allen drei Stellen des Verses) gibt dem Ganzen das Gefühl ruhigen sich gehen lassens. Der Dichter im Gefühle seiner Sicherheit ergießt in behaglicher Breite seine ironische Laune gegen die alte Fein=din Canidia.

Der Spondeus (irrationale Fuß) erscheint in 81 VV. 13 mal an 1., 56 mal an 3., 38 mal an 5. Stelle. Auflösungen sind selten. 3 mal erscheint der Dactylus an 1., 1 mal an 3. Stelle; der Tribrachys steht

3mal an 2., 1mal an 3., 2mal an 4. Stelle; mehrere dieser Auf=
lösungen sind durch Eigennamen veranlaßt (B. 6 Canidia; B. 42 in-
famis Helenae; B. 65 quietem Pelopis). Die Cäsur ist nur 3mal
Hepthem., sonst durchgehends Penthem. Den Ausgang des Senars
bildet 47mal eine Kürze, 34mal eine Länge.

**IV. Jambischer Trimeter und jambischer Dimeter epodisch
verbunden.**

(Eigentliches jambisches Epodenmaß.)

Epod. 1—10. ⌣ ″ ⌣ _ ⌣̆ ‖ _ ⌣ ‖ _ ⌣̆ _ ⌣ ⌣ _∧

(_ ⌣⌣)(⌣ ⌣⌣)(_ ⌣⌣)

(⌣⌣ _) .   (⌣⌣ _)

⌣ ″ ⌣ _ ⌣̆ _ _ ⌣ ⌣∧

(_ ⌣⌣)(⌣ ⌣⌣)

Der Character des jambischen Epodenmaßes ist in der Hälfte
der Epoden dem Originale, Archilochus, treu geblieben: beißen=
der Spott, der in den kurzen, raschen Dimetern den Angegriffenen
noch schneller und schärfer trifft. Epod. 1. 7. 9. 10 dienen die
Jamben zum Ausdruck eines gesteigerten, theils Freuden=, theils
Schmerzgefühls. Epod. 2 gleicht in ihrem Sujet mehr den Sa-
tiren, bleibt aber im Schlusse und dessen scharfer Pointe im Cha=
racter der Epode. Epod. 3 scherzhafte Dichtung, aber im echten
leidenschaftlichen Tone der archilochischen Poesie.

Der Spondeus erscheint in 183 Trim. 94mal an 1., 107mal an
3. und 95mal an 5. Stelle. Auflösungen sind selten, nur in einigen
Gedichten erregteren Characters häufiger effectvoll benutzt. Der Dacty=
lus findet sich nur 6mal an 1., 2mal an 3. Stelle; der Anapäst 2mal
an 1. und 2mal an 5. Stelle; der Tribrachys 8mal an 2., 4mal an
3. Stelle. Ein Theil der Auflösungen ist wieder durch Eigennamen
(Epod. 1, 27 Calabris, 5, 15 Canidia, 25 Sagana, 10, 19 Ionius) und
ein griechisches Wort (2, 57 lapathi) veranlaßt. Die Cäsur ist 11mal
Hepthem., 182mal Penth. (doch kann man in 2, 53 descendet und
4, 3 peruste schwanken); von jenen 11 Fällen sind 4 durch Eigen=
namen herbeigeführt: 5, 21 Iolcos, 25 Sagana, 6, 5 Molossus, 7, 7
Britannus. Elisionen in der Cäsur finden sich 5, 37. 97. 6, 11. Der
Auslaut ist 112mal eine Kürze, 71mal eine Länge. Im Dimeter fin=
det sich der Spond. 133mal an 1., 169mal an 3. Stelle. Auflösungen

sind sehr selten; der Tribrachys findet sich nur 1mal an 2. Stelle (2, 62) und der Dactylus an 1. Stelle 2mal, beidemal durch denselben Eigennamen veranlaßt (3, 8. 5, 48 Canidia). Die auslautende Silbe ist 121mal kurz, 62mal lang. Der Hiatus 5, 100 Esquilinae alites ist durch den Eigennamen und die Länge in der 3. Thesis (vor der Cäsur) gerechtfertigt.

V. Katalektischer trochäischer Dimeter und katalektischer jambischer Trimeter abwechselnd zur vierzeiligen Strophe verbunden.

(Trochäisches Versmaß oder Hipponacteum.)

Od. 2, 18. $\overset{''}{-} \cup - \cup \perp \cup \overline{\cup} \wedge$
  $(\cup\cup\cup)$
$(\_)$
$\cup - \cup - \overset{\smile}{} \| - \cup - \cup - \overset{\smile}{\cup} \wedge$

Der Character dieses von Hipponax benannten Versmaßes vereinigt in den leicht und einfach einherschreitenden Tetrapodieen und dem gemessenen gleichmäßigen Gange der katalektischen Trimeter, deren Aufeinandertreffen in den Thesen durch die Pausen vermieden ist, was dem ganzen Metrum mehr Kraft und Entschiedenheit verleiht, auf's glücklichste Energie und innere Ruhe. Der vergängliche, unwerthe äußere Besitz wird fast mit Heftigkeit und Raschheit von dem Dichter zurückgewiesen, dessen einzig beglückendes Loos innere Ruhe und Zufriedenheit sein soll.

Der trochäische Dimeter erscheint, wohl in Nachahmung eines griechischen Liedes des Bakchylides (Bergk Fragm. 28), stets rein: der Ausgang ist 11mal eine Kürze, 9mal eine Länge. Der katal. jamb. Trimeter ist aus dem akatal. durch Syncope der letzten Thesis entstanden. Sponbeen erscheinen seltener als in den akatal., in 20 BB. kommt die irrationale Thesis nur an 3. Stelle fast regelmäßig (16mal) vor, an der 1. Stelle ist ihr Vorkommen auf 2 BB. beschränkt, ganz ausgeschlossen ist sie von der 5. Stelle. Nur 1mal erscheint der Tribrachys (B. 34) an 2. Stelle. Die Cäsur ist überall Penthem., der Ausgang 14mal lang, 6mal kurz.

§. 14.

VI. Ionici a minore. $(\smile\smile\underline{\,\,}\underline{\,\,})$

Außer dem 3zeitigen Jambus und Trochäus hat sich in dem diplasischen Rhythmengeschlechte die Verdoppelung derselben, der 6zeitige Ionicus entwickelt. Von den 6 Moren gehören 4 der Arsis, 2 der Thesis, sodaß das einfache Verhältniß der Jamben und Trochäen (2:1) hier verdoppelt wiederkehrt. Dem jambischen Fuße entspricht der mit der Thesis (also dem geringeren Tacttheile, daher a minore) anlautende Ionicus a minore, während dem Trochäus der mit der Arsis anlautende Ion. a maiore gegenübersteht.

Die Ionici a minore, welche allein von den beiden Arten bei Horaz vorkommen, lassen sich ihres großen Umfanges wegen höchstens zu Tripodieen vereinigen, sodaß das System Od. 3, 12 in je 2 Dimeter und je 2 Trimeter zu zerlegen ist. Entscheidend gerade für diese Anordnung ist, weil nur dann den bei den griechischen Dichtern selten fehlenden Cäsuren[1]) am Ende jeder Reihe Rechnung getragen wird. Jenes Gedicht ist also folgendermaßen anzuordnen:

$$\smile\smile\overset{\prime\prime}{\underline{\,\,}}\,\smile\smile\underline{\,\,}$$
$$\smile\smile\overset{\prime\prime}{\underline{\,\,}}\,\smile\smile\underline{\,\,}$$
$$\smile\smile\overset{\prime\prime}{\underline{\,\,}}\,\smile\smile\underline{\,\,}\,\smile\smile\underline{\,\,}$$
$$\smile\smile\overset{\prime\prime}{\underline{\,\,}}\,\smile\smile\underline{\,\,}\,\smile\smile\underline{\,\,}$$

Die Ionici vereinigen in sich den langsamen schleppenden Rhythmus der langen Tacte und das energische Andringen des Jambus und so hält sich der Character des neckischen Gedichtes zwischen weichlichem Bedauern und Ermunterung zum entschiedenen Handeln. „Du bist sehr zu bedauern bei dem griesgrämigen Alten, wage es also dem Hebrus anzugehören!"

Die einzelnen Füße erscheinen stets rein.

[1]) Genauer wäre die Cäsur, welche durch das Zusammenfallen des Endes einer Reihe mit dem Wortende entsteht als Diärese zu bezeichnen, während Cäsur im engeren Sinne dann entsteht, wenn das Wortende mit dem Reihenende in Widerspruch steht. Für beide Fälle wenden wir die Bezeichnung Cäsur an.

3. Zusammengesetzte Metra des dactylischen und trochäischen Rhythmengeschlechts.

§. 15.

Mit der Einführung der kyklischen Messung der Dactylen war die Möglichkeit rhythmischer und metrischer Verbindung des dactylischen und trochäischen Rhythmengeschlechtes gegeben; beide Fußarten umfaßten 3 Moren; eine Unterbrechung des Rhythmus fand jetzt nicht mehr statt.

Die erste noch mechanische Form der Verbindung war die, daß dactylische und trochäische Reihen in derselben Strophe, ja in demselben Verse vereinigt wurden, aber jede Reihe einem und demselben Metrum angehörte. Diese Bildungen, welche früher asynartetische[1]) Verse genannt wurden, bezeichnen wir mit der Benennung Dactylo-Trochäen, um schon in den beiden selbständigen Namen die Selbständigkeit der einzelnen Reihen anzudeuten. Wahrscheinlich ist die erste Anwendung dieses Princips auf Archilochus zurückzuführen.

Beispiel: _⏑⏑ _⏑⏑ _⏑⏑ _⏑⏑ ‖ _⏑ _⏑ _⏑ dactylische Tetrapodie und trochäische Tripodie. Aber die volle organische Ausbildung des Princips, Dactylen und Trochäen zu verbinden, wurde erst dann erreicht, als dactylische und trochäische Füße in derselben Reihe verbunden wurden. Wir nennen solche Reihen Logaöden[2]). Beispiel: _⏑⏑ _⏑ _⏑⏑ _⏑ _⏑ Dactylus und 2 trochäische Dipodieen.

[1]) ἀσυνάρτητα, weil sie sich nicht mit demselben einheitlichen Maße messen lassen und in keinem Zusammenhange stehen.
[2]) von λόγος und ἀοιδή, weil sie gleichsam Prosa und Poesie vereinigen.

§. 16.

a. Dactylo = Trochäen.

Von diesen Bildungen finden sich bei Horaz folgende:

VII. Dactylischer Hexameter und jambischer Dimeter epo=
disch verbunden.

(Erstes pythiambisches Versmaß.)

Epod. 14. 15. ⸻

Das pythiambische Versmaß, das richtiger ebenfalls als
archilochisches bezeichnet würde, trägt seinen Namen von der
Verbindung des vom Gebrauch bei Orakelsprüchen benannten
pythischen Verses (dactyl. Heram.) mit Jamben. Der Character
desselben wird wesentlich durch den kurzen raschen Jambus be=
dingt, welcher die Ruhe der dactylischen Trimeter gewaltsam un=
terbricht und dem Ganzen das Gepräge von Erregtheit, ja Lei=
denschaftlichkeit (besonders in Epod. 15) verleiht.

In 20 Heram. findet sich der Sponb. 17 mal an 4., 17 mal an 3.,
9 mal an 2. und 8 mal an 1. Stelle. Die Cäsur ist 19 mal Penthem.,
nur einmal (15, 9 bei agitarit) κατὰ τϱ. τϱ. Der Auslaut ist 15 mal
spondeisch, 5 mal trochäisch. In 20 Dimetern erscheint der Spondeus
an 1. Stelle 13 mal, an 3. Stelle 17 mal; nur einmal erscheint (15,
24) der Dactylus an 1. Stelle. Der Auslaut ist 4 mal eine Länge,
16 mal eine Kürze.

VIII. Dactylischer Hexameter und jambischer Trimeter
epodisch verbunden.

(Zweites pythiambisches Versmaß.)

Epod. 16. ⸻

Das zweite pythiambische Versmaß, für welches hinsichtlich
der Benennung die Bemerkung zum vorhergehenden gilt, kündigt
schon in der rhythmischen Erscheinung der 3 gleichen Reihen, 2
dactylischer und eines jambischen Trimeters, seinen ruhigen, eben=

mäßigen Character. Der ernste Hexameter wird durch den ge=
messen schreitenden jamb. Trimeter, in dem Contractionen und
Auflösungen fern gehalten sind, nur im fallenden Rhythmus un=
terbrochen. So stimmt der Inhalt zu der Form; ernste Betrach=
tung der Misère der Zeit und fast feierliche Aufforderung zur
Flucht „aus dem engen, dumpfen Leben in des Ideales Reich."

In 33 Hexam. steht der Sponb. 20mal an 4., 18mal an 3., 15mal an
2., 9mal an 1. Stelle; an der 5. erscheint er nur 2mal (B. 17
Phocaeorum, B. 29 Apenninus, also der Regel gemäß in 4silbigen
Eigennamen), die Cäsur ist durchgehends Penthem.; nur B. 21 Heph=
themimeres. Im Auslaut steht 22mal eine Länge, 1mal eine Kürze.
In 33 Trim. steht der Sponb. nur 1mal an 1. und 1mal an 3. Stelle,
nie an 5.; beidemal bei demselben Eigennamen Etruscus. Die Cäsur
ist durch den gleichen Eigennamen nur 1mal Hephthem. geworden,
sonst überall Penthem. Die auslautende Silbe ist 10mal lang, 23mal
kurz. Ueber die Cäsur ab‖ominatus und ähnliche Fälle s. unter XIX.

IX. Jambischer Trimeter als erster, katalekt. dactyl. Tri=
meter und jambischer Dimeter als 2. Vers distichisch
verbunden.

(3. archilochisches Versmaß.)

Epod. 11.

Der Character des 3. archilochischen Versmaßes wird haupt=
sächlich durch den 2. Vers bestimmt. Die kurzen Reihen des
katal. dactyl. Trimeters und des jamb. Trimeters, dazu die häu=
figen schwächenden Verspausen geben dem Ganzen einen weichen
und klagenden Ton, dem auch der Inhalt, eine Liebesverzweiflungs=
Epistel, entspricht.

Dieses sowie das folgende Metrum sind für die Entwickelung der
Verbindung von Dactylen und Trochäen besonders lehrreich. Die 3
Reihen, obgleich die 2 letzteren zu einem Verse vereinigt sind, bilden
jede ein selbständiges Ganze und haben nicht bloß beständige Cäsur,
sondern auch die specifischen Merkmale des selbständigen Verses, — bei

Schiller, Versmaße des Horaz.　　　　　　　　　2

Archilochus noch durchgehends, bei Horaz wenigstens öfters — Syllaba anceps und Hiatus. In diesem Versmaße bezw. in Epode 11 zeigen in der ersten Reihe unter 14 V. 8 syllab. anc., die zweite wird von der dritten 3mal durch syll. anc., 2mal durch Hiatus geschieden; alle 3 Reihen sind durch beständige Cäsur getrennt. In den 14 Trimetern findet sich der Spond. 9mal an 5., 9mal an 3., 10mal an 1. Stelle; an 5. Stelle steht 1mal der Anapäst, an 1. Stelle 1mal der Tribrachys. Die Cäsur ist mit Ausnahme von 15 December, wo sie Hephthem. ist, überall Penthem. Im katal. bactyl. Trimeter sind die Dactylen stets rein; im jamb. Dim. ist der Spond. an 3. Stelle regelmäßig; er fehlt nur V. 26 contumeliae; an 1. Stelle steht er 9mal. Der Auslaut ist 10mal eine Kürze, 4mal eine Länge.

X. Dactyl. Hexameter als erster, jamb. Dimeter und katal. dactylischer Trimeter als 2. Vers distichisch verbunden.
(Zweites archilochisches Versmaß.)

Epod. 13.

Der zweite Vers des zweiten archilochischen Versmaßes enthält die beiden Reihen von IX. in umgekehrter Ordnung. Der Character wird hierdurch in soweit verändert, als der ruhige Gang der dactylischen Trimeter unterbrochen wird durch die kurzen, rasch und leicht dahineilenden Jamben, um am Ende wieder zu dem Character des Anfangs zurückzukehren. So entspricht das Versmaß genau dem Inhalte: die Aufforderung zum heiteren Lebensgenusse wird umschlossen und motivirt durch die Betrachtung der düstren Natur und die finstre Aussicht auf den Tod.

In 9 Hexam. steht der Spond. 7mal an 4., 5mal an 3., 4mal an 2., 2mal an 1. Stelle; ausnahmsweise 1mal an 5. bei 4silbigem Eigennamen (V. 9 Cyllenēa). Die Cäsur ist durchgehends Penthem., nur V. 3 bei Aquilone Hephthem. Der Hexam. schließt überall mit der Länge. Im jamb. Dim. steht der Spond. nur 1mal nicht an 3. Stelle (V. 18), 6mal an 1. Stelle. Der bactyl. katal. Trim. ist wieder rein. Die 3 Reihen sind wie bei IX. durch beständige Cäsur getrennt, die 2. von der 3. 3mal durch syll. anc., der bactyl. Trim. katal. schließt 4mal kurz. Zwischen der 1. und 2. Reihe findet sich 2mal Hiatus.

XI. Dactylische Tetrapodie mit Ithyphallicus als erster, katal. jamb. Trimeter als 2. Vers, zu vierzeiligen Strophen verbunden.

(4. archilochisches Versmaß [Strophe]).

Od. 1, 4. $\overset{\prime\prime}{-}\overset{\frown}{\smile\smile} \perp \overset{\frown}{\smile\smile} \perp \overset{\frown}{\smile\smile} \perp \smile\smile \parallel \overset{\prime\prime}{-} \smile - \smile \perp \smile$
$(\smile) \overset{\prime\prime}{-} \smile - - \parallel \perp \smile - \smile \overset{\prime}{\perp} -$

Das 4. archilochische Metrum zeigt die Ursprünglichkeit der 3 Reihen nicht mehr in dem Maße, wie die griechischen Vorbilder. Die Tetrapodie ist von der trochäischen Tripodie (welche den Namen Ithyphallicus führt) nicht mehr durch Hiatus oder syllab. anc. geschieden; nur die beständige Cäsur zeigt die ehemalige Selbständigkeit der 2 Reihen. Das Versmaß bekommt durch den raschen Ithyphallicus etwas Springendes und Unstätes, welches in dem katalektischen jamb. Trimeter mit seinen vielen Contractionen zu lässigem Sichgehenlassen wird. „Der Frühling kommt: genieß ihn rasch: denn bald wird es aus sein und dann ist's vorbei mit des Lebens Freuden."

Die bactyl. Tetrapodie zeigt ganz abweichend vom Tetrameter in 1, 7, 28. Epod. 12. den Spond. in 10 VV. 8mal an 3., 4mal an 2., 2mal an 1. Stelle. Der vierte Fuß ist stets ein Dactylus; nur ein einziger Vers (9) ist rein bactylisch. Der Ithyphallicus, bei dem an 2. Stelle nie der Spondeus eintreten kann, lautet 7mal mit einer Länge, 3mal mit einer Kürze aus. Der katal. jamb. Trim. (f. V.) zeigt häufiger Contractionen als 2, 18. An 3. Stelle steht in 10 VV. der Spond. durchgehends und an 1. Stelle 9mal; die auslautende Silbe ist stets lang. Die Cäsur überall Penthem.

§. 17.

b. Logaöden.

Da der Rhythmus der Logaöden 3zeitig ist, (f. §. 15), so gelten für die Ausdehnung der Reihen dieselben Gesetze wie für das diplasische Rhythmengeschlecht, d. h. sie können bis zur Herapodie ausgedehnt werden. Monopodieen und Dipodieen gibt es nicht; es erscheinen hier also nur Tripodie, Tetrapodie, Pentapodie, Herapodie. Diese Reihen sind jedoch außerordentlicher

2*

Mannchfaltigkeit fähig, je nachdem der oder die kyllischen Füße an 1., 2. ꝛc. Stelle stehen und der Vers mit der Arsis oder der Anakrufe an- und mit der Arsis oder Thesis auslautet; während die Tetrapodie schon 20 verschiedene Formen zuläßt, können für die Tripodie, welche nur 1 Dactylus enthalten kann, folgende Variationen erscheinen:

$$\text{‖}\cup\cup\perp\cup\!-\!\Smile \quad \cup\text{‖}\cup\cup\perp\cup\!-\!\Smile \quad \text{‖}\cup\cup\perp\cup\Smile \quad \cup\text{‖}\cup\cup\perp\cup\Smile$$
$$\text{‖}\cup\perp\cup\cup\perp\Smile \quad \cup\text{‖}\cup\perp\cup\cup\perp\Smile \quad \text{‖}\cup\perp\cup\cup\Smile \quad \cup\text{‖}\cup\perp\cup\cup\Smile$$

Für die Gedichte des Horaz kommen nur Tripodieen, Tetrapodieen und Pentapodieen in Betracht.

1) Logaödische Tripodieen (Pherekrateen).

Die Tripodie erscheint bei Horaz in doppelter Gestalt:

$$\left.\begin{array}{l}\text{‖}\cup\cup\perp\cup\!-\!\Smile\ 1\\[2pt]\text{‖}\perp\perp\cup\cup\perp\Smile\ 2\end{array}\right\}\ \text{Pherekrateus.}$$

Wir nennen nach der Stellung des Dactylus (an erster Stelle) den ersten Vers 1. Pherekrateus, den andern aus dem gleichen Grunde 2. Pherekrat., während die Alten diese Benennung nur für die zweite Form anwenden.

Während Catull noch und früher die griechischen Dichter sich in Hinsicht der Gestaltung des ersten Fußes im 2. Pherekr. ziemlich frei bewegen, erhebt Horaz den Spondeus an dieser Stelle zur unverletzlichen Norm. Der Auslaut ist in 51 VV. 43mal lang, nur 8mal kurz.

Asklepiadeen.

Aus der Verbindung des katal. 2. Pherek. und des katal. 1. Pherekr. entsteht, gerade wie der elegische Pentameter aus der Verbindung von 2 katal. dactyl. Tripodieen, der von seinem Gebrauche bei dem späteren Dichter Asklepiades benannte asklepiadeische Vers.

$$\text{‖}\perp\perp\cup\cup\perp\wedge\,\|\,\text{‖}\cup\cup\perp\cup\!-\!\wedge$$

Die Cäsur nach dem 2. katal. Pherekr. fehlt bei Horaz nie; 4, 8, 17 ist unächt, andere Stellen, wo Partikeln in der Composition und que von ihren Worten getrennt werden (wie 1, 15. 18. 2, 12, 25. 6. 4, 1, 22. 5, 13.), sind nicht als Fehlen der Cäsur aufzufassen (s. XIX.); die Elision in der Cäsur ist völlig zuläßig, ja häufig: 1, 3, 36. 21,

13. 24, 14. 3, 24, 52. 30, 1. 4, 5, 22. 8, 16. Sehr häufig steht ein einsilbiges Wort, immer aber eine Länge vor der Cäsur. Scheinbare Ausnahmen wie 1, 13, 6. 3, 16, 26. erklären sich durch das zu XIX. angegebene Ritschl'sche Gesetz. Im Auslaute findet sich die Länge in 461 BV. 258mal, die Kürze 203mal.

Der asklepiadeische Vers findet sich stichisch und strophisch auf folgende Weise angewendet:

XII. Der asklepiadeische Vers, stichisch zu vierzeiligen Strophen verbunden.

(Asclepiadeum primum.)

Od. 1, 1. 3, 30. 4, 8. $\overline{}\_\bot\cup\cup\bot\wedge\ \|\ \overline{}\_\cup\cup\bot\underset{\cup}{\overline{\wedge}}$

XIII. Asklepiadeus mit vorausgehendem 2. Glykoneus (s. unter Tetrapodieen) zu vierzeiligen Strophen verbunden.

(Asclepiadeum secundum.)

$\overline{}\_\bot\overline{\cup\cup}\bot\cup\underset{\cup}{\overline{\wedge}}$
$\overline{}\_\bot\cup\cup\bot\wedge\ \|\ \overline{}\_\cup\cup\bot\cup\underset{\cup}{\overline{\wedge}}$

Od. 1, 3. 13. 19. 36. 3, 9. 15. 19. 24. 25. 28. 4, 1. 3.

XIV. Drei Asklepiadeen mit dem 2. Glykoneus als Schlußvers zu vierzeiligen Strophen verbunden.

(Asclepiadeum tertium.)

$\overline{}\_\bot\cup\cup\bot\wedge\ \|\ \overline{}\_\cup\cup\bot\cup\underset{\cup}{\overline{\wedge}}$
$\overline{}\_\bot\cup\cup\bot\wedge\ \|\ \overline{}\_\cup\cup\bot\cup\underset{\cup}{\overline{\wedge}}$
$\overline{}\_\bot\cup\cup\bot\wedge\ \|\ \overline{}\_\cup\cup\bot\cup\underset{\cup}{\overline{\wedge}}$
$\overline{}\_\bot\cup\cup\bot\cup\underset{\cup}{\overline{\wedge}}$

Od. 1, 6. 15. 24. 33. 2, 12. 3, 10. 16. 4, 5. 12.

Der Glykoneus ist nie mit dem vorausgehenden Asklepiadeus zu einem Verse verbunden; Hiatus zwischen beiden 2, 12, 29. In griechischen Liedern ist noch hie und da Verbindung beider Verse nachzuweisen.

XV. Zwei Asklepiadeen mit 2. Pherekrateus als dritten und
2. Glykoneus als Schlußverse zu 4zeiligen Strophen
verbunden.

(Asclepiadeum quartum.)

```
              ‿¯Λ
‖ _ ⸺ ‿‿ ⸺ Λ ‖ ‖ ‿‿ ⸺ ‿ _ Λ
              ‿¯Λ
‖ _ ⸺ ‿‿ ⸺ Λ ‖ ‖ ‿‿ ⸺ ‿ _ Λ
        ‖ _ ⸺ ‿ ⸺ ‿
        ‖ _ ⸺ ‿‿ ⸺ ‿ ‿Λ
```

Od. 1, 5. 14. 21. 23.   3, 7. 13.   4, 13.

Der 2. Pherekrateus ist nie mit dem vorhergehenden Asklepiadeus
zu einem Verse verbunden. Hiatus zwischen beiden: 3, 7, 20.

Zu XII. Der Character des asklepiadeischen Verses ist, haupt=
sächlich durch die aufeinandertreffenden Arsen hervorgerufen, be=
wegter Ernst. Dieß ist auch der Character der in ihm verfaßten
Lieder. Od. 1, 1. 3, 30. 4, 8. Ihr Inhalt hat große Aehn=
lichkeit: Widmungsgedichte zu den Werken des Horaz und Be=
trachtung des Werthes seiner Lieder.

Zu XIII. Der vorausgehende Glykoneus mit seiner leichten, ele=
ganten Beweglichkeit gibt dem Versmaße den Character erhöhter
Bewegung und solcher Bedeutung entspricht auch der Inhalt,
welcher bald gesteigerte Freude und Lust, bald gesteigerten Groll
und Wehmuth ausdrückt.

Zu XIV. Der Glykoneus gibt den 3 vorausgehenden ernsten
Asklepiadeen einen lebhaft bewegten Abschluß. Das Versmaß ist
dadurch besonders geeignet, um vorhergehende, ruhig=vernünftige
Betrachtungen recht eindringlich zu machen. Der Inhalt ent=
spricht stets. 1, 6. u. 2, 12. Zurückweisung ehrender Aufträge
von Seiten des Dichters und Bitte, ihn derselben zu entbinden,
motivirt durch die Unbedeutendheit der Stoffe, die er zu besingen
gewohnt sei. 1, 15. u. 3, 16. Ernste Abmahnnng, dort von der
Entführung der Helena, hier von der Ansicht, nur Gold mache
glücklich. 4, 5. Dringende Aufforderung zur Rückkehr, 12

freundliche Einladung zum Besuche ohne Verzug, 1, 24. u. 33. Tröstung über Verlorenes. 3, 10. Eindringliche Vorstellungen an eine spröde Schöne.

Zu XV. Im 4. asklepiadeischen Versmaße kehrt der Grundzug des vorigen Versmaßes, Begründung einer eindringlichen Mahnung, noch verstärkt wieder; der leichte, flüchtige Pherekrateus gibt dem Versmaße einen noch lebhafter bewegten Character. 1, 5. Warnung vor einer gefährlichen Schönen. 23. Mahnung an eine Spröde, endlich den Fittichen der Mutter sich zu entziehen. 3, 7. Warnung vor der gefährlichen Schönheit eines Bewerbers in Abwesenheit des Freundes.' 4, 13. Neckerei eines spröden Liebchens, mit dem Character der Warnung vor Fortsetzung ihres Benehmens, 1,14. Warnung vor neuer Gefahr, 21. Ermahnung zur Verherrlichung der Latoiden. 3, 13. Gelöbniß von Dank und Opfer.

XVI. Erster Pherekrateus als erster, dritter Glykoneus (s. Tetrapodieen) und erster Pherekrateus als zweiter Vers zu vierzeiligen Strophen verbunden.

(Größeres sapphisches Versmaß.)

Od. 1, 8.

$$\ddot{~}\smile\underline{\underline{~}}\smile\underline{~}\; (\smile\wedge)$$
$$\ddot{~}\smile\underline{~}\underline{\underline{~}}\smile\underline{~}\parallel\ddot{~}\smile\smile\underline{~}\underline{~}\;(\smile\wedge)$$

Die rhythmische Anordnung der 3 Reihen ist sehr gleichmäßig, indem die katal. Tetrapodie von 2 akatal. Tripodieen umschlossen wird. Der Pherckr. im An= und Auslaut gibt dem Versmaße einen raschen, schnell andringenden, fast leidenschaftlichen Character. Der Inhalt entspricht der Form: die eindringliche Frage warum? wird zur fast leidenschaftlichen, natürlich nur humoristisch zu fassenden Anklage daß.

Die 3 Reihen sind durch beständige Cäsur getrennt, die 1. von der 2. durch Hiatus v. 3.

XVII. Katalektischer 2. Pherekrateus, katalektisch = dacty=
lische Dipodie, katalektischer 1. Pherekrateus zu einem
Verse vereinigt. Stichisch in 4zeiligen Strophen.
(Größeres asklepiadeisches Versmaß.)
Od. 1, 11. 18. 4, 10. $\underline{\mu}\,\_\,\_\,\smile\,\smile\,\underline{\perp}\,\|\,\underline{\mu}\,\smile\,\smile\,\underline{\perp}\,\|\,\underline{\mu}\,\smile\,\smile\,\_\,\smile\,\stackrel{\smile}{\wedge}$

Die rhythmische Anlage ist ebenfalls sehr gleichmäßig, 2 katal.
Tripodieen umschließen eine katal. Dipodie. Die wiederholte
Synkope der Thesen, das Aufeinandertreffen der Arsen gibt dem
Verse einen schwungvollen und energischen Character, welcher ihn
hauptsächlich zu eindringlichen Vorstellungen und Mahnungen
geeignet erscheinen ließ und dem auch die horazischen Gedichte
treu bleiben.

Die Verse kommen bei Horaz nur in stichischen Systemen von 8
und 16 Versen vor, welche sich dann in 2 oder 4 Strophen absetzen.
Der katal. 2. Pherekr. und die katal. dactyl. Dipodie lauten stets mit
der Länge aus, der katal. 1. Pherekr. 17mal mit der Länge, 15mal
mit der Kürze. Einmal (4, 10, 5.) findet Elision in der Cäsur statt,
einmal (1, 18, 16.) wird per im Composit. perlucidior durch dieselbe
abgetrennt. Die 3 Theile sind durch beständige Cäsur geschieden.

2) Logaödische Tetrapodieen (Glykoneen).

Die Tetrapodie erscheint bei Horaz nur katalektisch, der
Dactylus an 2. oder 3. Stelle. Wir übertragen auch hier die
Bezeichnung Glykoneus, welche bei den Alten nur für die Reihe
mit dem Dactylus an 2. Stelle gilt, auf die mit dem Dacty=
lus an 3. Stelle und nennen erstere 2. Glykoneus, letztere 3.
Glykoneus. Der 2. Glykoneus findet sich bei Horaz selbständig,
der 3. nur mit dem 1. Pherekr. verbunden zum größeren sapphi=
schen Versmaße.

Der 2. Glykon. hat bei Horaz statt des ersten Trochäus stets den
Spondeus. (Die scheinbar widersprechenden Stellen 1, 14, 24. u. 36.
sind durch die Conjecturen Teucer te und Ignis Pergameas oder durch
Bücheler's Auffassung lat. Declin. 8. beseitigt.) Der Dactylus ist, wie
bei allen Logaöden, rein. Unter 246 Versen endigen 137 mit einer
Länge, 109 mit einer Kürze. Der 3 Glykoneus hat an 2. Stelle stets
den Spondeus und lautet nur lang aus.

444

4444

— 25 —

3) Logaödische Pentapodieen.

Von den manchfachen möglichen Formen der Pentapodie kommen für Horaz nur 2 in Betracht, welche den Dactylus an 3. Stelle haben und sich nur dadurch unterscheiden, daß die erste mit der Arsis an- und mit der Thesis auslautet, die zweite hingegen mit der Anacrusis beginnt und auf die Arsis ausgeht. Die erste der beiden Reihen heißt elfsilbiger sapphischer Vers, die andere elfsilbiger alcäischer Vers.

ˮ‿——˗́‖‿|‿˗‿—◡   Σαπφικὸν ἑνδεκασύλλαβον.

(◡)ˮ‿——‖˗‿‿˗‿˛   Ἀλκαικὸν ἑνδεκασ.

Beide Verse, wahrscheinlich von Alcäus erfunden und zu den unten besprochenen Strophen verwandt, tragen von ihrer häufigeren Anwendung bei Sappho und Alcäus ihre Namen.

XVIII. Elfsilbiger sapphischer Vers, dreimal gesetzt und dactylische Dipodie mit spondeischem (trochäischem) Auslaute zu vierzeiligen Strophen verbunden.

(Sapphische Strophe.)

ˮ‿——˗́‖‿|‿˗‿—˛
ˮ‿——˗́‖‿|‿˗‿—˛
ˮ‿——˗́‖‿|‿˗‿—˛ (ˮ◡◡˗́˛)
ˮ◡◡˗́˛

Od. 1, 2. 10. 12. 20. 22. 25. 30. 32. 38.　2, 2. 4. 6. 8. 10. 16. 3, 8. 11. 14. 18. 20. 22. 27.　4, 2. 6. 11. Carmen Seculare.

Der adonische Vers führt seinen Namen von der häufigen Anwendung desselben als Schlußvers in den Liedern auf den Tod des Adonis: ὦ τὸν Ἄδωνιν, Armer Adonis! Horaz hat dieses Versmaß in 26 Gedichten, also nach der alcäischen Strophe am häufigsten angewandt.

Die rhythmische Anlage ist sehr einfach und gleichförmig; drei gleiche Pentapodieen mit nachklingender Dipodie; und in den 3 Pentapodieen läßt der Dactylus umschlossen von 2 trochäischen Dipodieen den Vers schweben „wie die Gondel auf den

Wellen im schönsten Gleichmaß"; nirgends stören aufeinander treffende Arsen den ruhigen Gang. Die katal. dactyl. Dipodie ist mit feinem Gefühle in dem Tacte gehalten, welcher den überwiegend trochäischen Ton des Versmaßes characteristisch unterbricht, denn der rasch einfallende Dactylus tritt als neues belebendes Element in die ruhige Gemessenheit der Trochäen und wiederholt sich nochmals bedeutungsvoll am Schlusse. So ist die sapphische Strophe das eigentliche Metrum für jedes erregte Gefühl, das sich aber doch aus irgend welchen Gründen im richtigen Gleichmaße fern von allem Ueberfluthen hält, so sehr es auch Kampf kosten mag, des Gebetes, das aus Scheu vor der Gottheit sich in den Grenzen der Andacht und frommen Sitte hält, der Liebe, die gegen die mächtige Leidenschaft kämpft, aber doch zu siegen weiß, der Klage, die fern vom Unschönen sich hält, der Freude, die das richtige Maß nicht überschreitet. Im Allgemeinen hat Horaz diesen Character gewahrt, namentlich sind die Mehrzahl der Gebete und Götteranrufungen in diesem Versmaße abgefaßt; in einzelnen Gedichten ist es jedoch nicht möglich, denselben wieder zu erkennen (z. B. 1, 25. 38. 2, 8. 3, 20).

Das Versmaß erhielt bei den Römern, theilweise schon durch Catull, hauptsächlich aber durch Horaz, eine eigenthümliche Entwickelung. Der erste Trochäus der ersten Dipodie erscheint stets rein; dagegen ist der 2. Troch. der 1. Dipodie regelmäßig zum Spond. geworden. Der Auslaut der 2. Dipodie ist in 615 VV. 406 mal eine lange, 209 mal eine kurze Silbe. Die Cäsur entlehnt Horaz vom Hexameter — die Griechen haben keine feststehende Cäsur für den Vers —; die gewöhnliche ist also die Penthem.: viel seltener ist die κατα τρ. τρ. Unter 615 VV. zeigen 567 die Penthem., 48 die κατα τρ. τρ., unter letzterer Zahl finden sich 14 Fälle, wo que vor die Cäsur zu stehen kommt, die mithin zweifelhaft sein können. Von diesen 48 gehören nur 7 dem 1. und 2. Buche, gar keine dem 3., dagegen 22 dem 4. Buche und 19 dem Seculargesange. Zugleich mit den Cäsuren wurde auch dem Hexameter das Gesetz über die Stellung einsilbiger Worte vor der Cäsur entlehnt — das übrigens in den Hexametern öfters von Horaz verletzt ist — wonach kein einsilbiges Wort vor die Cäsur zu

ſtehen kommen ſoll, ohne daß ihm noch ein einſilbiges vorhergeht.
An 25 Stellen iſt das Geſetz genau beobachtet; an andern iſt die Aus=
nahme nur ſcheinbar, z. B. 1, 32, 13 Phoebi et. Eliſionen in der
Cäſur finden ſich 2, 4, 10. 16, 26. 3, 27, 10. 4, 11, 27. Ueber
die ſcheinbare Kürze 2, 6, 14 ridet vor der Cäſur ſ. XIX. Unter 205
aboniſchen Verſen lauten 123 mit der Länge, 82 mit der Kürze aus.
Bei den Griechen bildet der Abonius noch öfters mit der vorausge=
henden Pentapodie einen Vers. Bei Horaz iſt dies nur Od. 1, 2, 19.
25, 11. 2, 16, 7 der Fall; andere Stellen dagegen zeigen durch den
Hiatus am Ende des 3. V. die Selbſtändigkeit der beiden VV. (1, 2,
47. 12, 7. 31. 22, 15), welche im 3. und 4. Buch, ſowie im Secu=
largeſange regelmäßig behauptet iſt. Die enge Verbindung der 4 Verſe
untereinander zeigen die Eliſionen am Ende derſelben vor anlauten=
den Vocal des folgenden Verſes (zwiſchen VV. 2 u. 3: Od. 2, 2, 18.
16, 34. 4, 2, 22. zwiſchen 3 und 4: 4, 2, 23 C. S. 47, beidemal
veranlaßt durch que) ſowie die Conjunctionen und Präpoſitionen,
welche am Ende des einen Verſes von ihren zugehörigen Begriffen
im andern getrennt ſind: et Od. 2, 6, 1. 2. 16, 37. 3, 8, 26. 11,
5. 27, 22. 29. 46. in 3, 8, 3. 4, 6, 11. Daß aber trotzdem die
einzelnen Verſe als ſelbſtändige Reihen gefaßt wurden, zeigt der häu=
fige Hiatus zwiſchen ihnen: zwiſchen 1 u. 2: 1, 2, 41. 12, 25. 2,
16, 5. 3, 11, 29. 27, 33. zwiſchen 2 u. 3: 1, 2, 6. 12, 6. 25, 18.
30, 6. 2, 2, 7. 4, 6. 3, 11, 51. 27, 10.

XIX. Elfſilbiger alcäiſcher Vers, 2 mal geſetzt, jambiſcher hyperkatalektiſcher Dimeter und logaödiſche Tetrapodie διὰ δυοῖν.

(Alcäiſche Strophe.)

$$\underset{}{\smile} \mid \overset{''}{\smile} - - \mid\mid \smile \smile \smile \overset{.}{\smile} \smile \overset{\smile}{}$$
$$\underset{}{\smile} \mid \overset{''}{\smile} - - \mid \overset{.}{\smile} \smile \smile \smile \overset{\smile}{}$$
$$\underset{}{\smile} \mid \overset{''}{\smile} - - \mid \overset{.}{\smile} \smile - \smile \overset{\smile}{}$$
$$\overset{''}{\smile} \smile \smile \overset{.}{\smile} \smile \smile \smile \overset{.}{\smile} \smile \overset{\smile}{}$$

Od. 1, 9. 16. 17. 26. 27. 29. 31. 34. 35. 37. 2, 1. 3. 5.
7. 9. 11. 13. 14. 15. 17. 19. 20. 3, 1. 2. 3. 4. 5. 6. 17. 21.
23. 26. 29. 4, 4. 9. 14. 15.

Die von Alcäus erfundene und benannte Strophe beſteht aus
dem 2 mal geſetzten elfſilbigen alcäiſchen Verſe, der, wie oben be=

merkt, nichts anderes ist, als der elfsilbige sapphische Vers, wel=
cher mit der Anakrusis an= und mit der Arsis auslautet, aus
dem jambischen Dimeter mit einer überzähligen Silbe (b. h.
dem trochäischen Dimeter mit Anakrusis), aus dem verdoppelten
Adonius, einem logaödischen Verse mit 2 kyklischen Füßen (daher
διὰ δυοῖν). Kein anderes Metrum findet sich bei Horaz gleich
häufig; 37 Gedichte, also ungefähr ⅓ sämmtlicher Lieder, sind in
demselben abgefaßt.

Die rhythmische Anlage der alcäischen Strophe ist minder
einfach, aber nicht weniger schön, als die der sapphischen: Auf
2 Pentapodieen folgen 2 Tetrapodieen, welche die Elemente der
Pentapodieen näher ausführen. In der ersten Tetrapodie kehrt
das trochäische Motiv, in der zweiten das dactylische wieder. Die
anlautenden Anakrusen verleihen der alcäischen Strophe weit
mehr Schwung, Kraft und Energie, die wechselvollere Construction
in den verschiedenen Versen größere Beweglichkeit und der ab=
schließende kraftvolle verdoppelte Adonius entschiedeneren Nach=
druck. In den meisten horazischen Gedichten prägt sich dieser
Character deutlich aus, und es lebt in denselben ein kräftiger,
männlicher Sinn; in einzelnen Gedichten, wo dies scheinbar nicht
der Fall ist, läßt sich doch noch etwas eindringliches und fesselndes
erkennen, man möchte sagen ein zwingendes Element, das der
Bitte die Erhörung sichert und der Ermahnung das Ohr öffnet,
das dem Spotte mehr Schärfe und dem Lobe wie dem Troste grö=
ßere Kraft und Wirksamkeit verleiht.

Auch der alcäische Vers erhält in Cäsuren und Silbenlängen von
Horaz eine originelle Ausbildung. Während bei den Griechen weder
für die Anakrusis und die zweite Silbe des 2. Trochäus, noch für die
Cäsuren feste Regeln gelten, schafft Horaz feste Normen, welche theil=
weise nie, theilweise nur selten verletzt werden.
Die Anakrusis des alcäischen V. ist in 634 VV. nur 17mal
eine Kürze; davon kommen 8 Fälle auf das 1. Buch, 4 auf das 2.,
5 auf das 3., während das 4. nur die lange Anakrusis zeigt. Der
2. Trochäus desselben V. ist stets ein Spondeus. Die sogenannten

Ausnahmen: 3, 6, 9 erledigt sich durch die Lesart: Iam bis Monaeses.
3, 23, 18 durch die gewöhnliche Erklärug oder durch die ansprechende
Conjectur von Tobt in Z. f. GW. 20, 875. 3, 5, 17 si non periret
u. die ähnlichen Fälle 2, 13, 16 u. 6, 14. 3, 16, 26 sind erklärt
durch das von Ritschl und Fleckeisen belegte Gesetz, daß in allen „auf
r und t auslautenden Endsilben, für welche die übrigen zugehörigen
Flexionsformen den Beweis liefern, daß der den beiden genannten Aus=
lauten vorhergehende Vocal lang war, auch bei den Dichtern der au=
gusteischen Zeit die ursprüngliche Quantität hie und da festgehalten
wird." Die Cäsur fällt regelmäßig vor die 3. Arsis. Eine Ausnahme
machen 1, 37, 14, wo ohne die gut beglaubigte Lesart lymphatam a Mar.
dieselbe nach der 3. Arsis fiele, 4, 14, 17 wo die Cäsur nach der 2.
Arsis steht und 1, 16, 21 wo ex in exercitus auffallender Weise durch
die Cäsur in Elision von seinem Compositum getrennt wird. Hin=
sichtlich der Stellung einsilbiger Worte vor der Cäsur ist das bei XVIII.
erwähnte Gesetz häufiger gewahrt als verletzt. Doppelte einsilbige
Worte finden sich 1, 9, 2. 18. 26, 6. 27, 14. 21. 35, 34. 2, 1, 33.
17, 18. 20, 18 III., 3, 21. 4, 5. 6, 22. 45. 21, 21. 26, 6. 29, 5.
4, 4, 22. 25. 53. 9, 38. 14, 5. 15, 18. Nicht beobachtet ist das Ge=
setz: 2, 3, 22. 11, 21. 17, 5. 6. 3, 1, 9. 3, 49. 5, 13. 33. 21, 10. 29,
57. 4, 14, 37. 69. 73. 14, 17. 33. 41. 45. Nur scheinbar verletzt:
1, 17, 14. 27, 2. 31, 6. 35, 17. 2, 13, 2. 17, 2. 3, 2, 5. 6. 13.
4, 1. 5, 10. Elision in der Cäsur findet öfters statt: 1, 16, 6. 31,
6. 34, 10. 13. 35, 10. 25. 33. 2, 3, 13. 5, 21. 9, 18. 11, 21. 13,
6. 17, 10. 3, 1, 5. 2, 5. 30. 3, 33. 41. 4, 6. 41. 49. 6, 1. 6.
18. 21, 13. 29, 17. Der Auslaut ist in 634 VV. 319mal lang,
315mal kurz. Der jambische hyperkatal. Dimeter hat die Haupt=
cäsur regelmäßig nach der 3. Arsis, selten erscheint auch als solche
eine Cäsur nach der 3. Thesis und nach der 2. Arsis. In 317 VV.
findet sich die Cäsur nach der 3. Arsis 280mal. Die Cäsur nach der
5. Silbe steht regelmäßig, wenn die 6. ein einsilbiges Wort ist und fin=
det sich dann stets mit der Hauptcäsur nach der 3. Arsis verbunden;
sie erscheint in dieser Gestalt 42mal. Abweichend von dieser Form und
als Hauptcäsur erscheint sie in dem 1. und 2. Buche 11mal: 1, 16, 3.
26, 7. 29, 11. 35, 11. 2, 1, 11. 3, 3. 13, 27. 14, 11. 19, 7. 11.
19. Die Cäsur nach der 2. Arsis erscheint als Haupt= und Neben=
cäsur regelmäßig dann, wenn vor ihr ein einsilbiges Wort steht und
ist auf diese Weise 47mal angewendet. Als Hauptcäsur erscheint sie
12mal: einmal in den 2 ersten Büchern abnorm 1, 26, 11 Hunc

Lesbio, sonst nur im 3. und 4. Buch: 3, 1, 31. 4, 27. 59. 67. 29,
27. 31. 4, 4, 71. 9, 19. 39. 14, 43. 15, 19. Ohne diese häufigeren
Cäsuren erscheinen eine Anzahl von Versen, welche meist in der Mitte
4silbige Worte enthalten und die in der Regel eine Cäsur nach der
2. und 4. Thesis haben müssen: 2, 1, 25 decoloravere (1 Arf. und
4 Thes.), 13, 19 improvisa, 3, 3, 7 illabatur, 35 debacchentur, 5, 31
extricata, 6, 11 adiecisse, 15 formidatus, 19 derivata, 27 impermissa, 29,
7 contempleris, 35 delabentis, 4, 4, 35 defecere, 63 submisere, 14, 35
Alexandrea (1 Arf. und 4 Thes.). Was die Nebencäsur nach der
2. Arsis betrifft, so ließe sich dieselbe wohl noch öfter annehmen, wenn
man die Trennung componirter Adverbien von ihren Worten
durch dieselbe zulässig fände. Es spricht für diese Annahme die sehr
häufige Erscheinung derselben Wörtchen als Präpositionen an der
gleichen Stelle, dann der nachweisliche Gebrauch des Horaz, Adverbien
in der Composition von ihren Compositis zu trennen. Unzweifelhaft
findet dies statt: 1, 2, 34 circum|volat, 16, 21 ex|ercitus, 18, 16 per|
lucidior, 37, 5 de|promere, 2, 12, 25 de|torquet, 7, 21 in|credibili
Epod 1, 19 im|plumibus 11, 15 in|aestuet 16, 8 ab|ominatus. Nach
diesem Vorgange ließe sich noch an weiteren 57 Stellen die 2. Arsis als
Nebenarsis zwischen Zusammensetzungen mit de in per ex nachweisen.
Eben so wie durch die 2. Arsis Adverbien von ihren Compositis dann
getrennt würden, wird que nach der 3. Arsis durch Cäsur 27mal, einmal auch ve von dem vorhergehenden Worte getrennt. In 317 jamb.
Dim. findet sich der Spond. an 1. Stelle 307mal, an 3. durchgehends;
der Auslaut ist 205mal eine Länge, 112mal eine Kürze. Der logaödische Schlußvers zeigt stets reine Dactylen und der 1. Trochäus ist ebenfalls stets rein; merkwürdig ist, daß fast in 1/5 sämmtlicher Verse (60mal) que die Kürze bildet; er lautet 209mal mit einer
Länge, 108mal mit einer Kürze aus. Die 4 Reihen wurden alle selbständig aufgefaßt und behandelt. Dies zeigt der häufige Hiatus: zwischen 1. u. 2. Reihe: 1, 17, 13. 25. 31, 5. 35, 9. 2, 5, 9. 13, 21.
zwischen 2. u. 3.: 1, 9, 14. 17, 6. 31, 14. 35, 38. 2, 13, 26. 3,
5, 10. 46. zwischen 3. u. 4.: 1, 9, 7. 16, 27. 37, 11. 2, 9, 3.
13, 7. 11. 14, 3. 19, 31. 3, 4. 9. 5, 11. Dagegen verschwinden die
2 Stellen, welche Elision am Ende, also Zusammenhang mit dem folgenden Verse zeigen: 2, 3, 27. 29, 35.

Ueberſicht

der einzelnen Gedichte nach den Versmaßen.

1) Oden.

Buch	Metrum	Buch	Metrum	Buch	Metrum
1, 1	XII	1, 31	XIX	3, 3	XIX
2	XVIII	32	XVIII	4	XIX
3	XIII	33	XIV	5	XIX
4	XI	34	XIX	6	XIX
5	XV	35	XIX	7	XV
6	XIV	36	XIII	8	XVIII
7	II	37	XIX	9	XIII
8	XVI	38	XVIII	10	XIV
9	XIX	2, 1	XIX	11	XVIII
10	XVIII	2	XVIII	12	VI
11	XVII	3	XIX	13	XV
12	XVIII	4	XVIII	14	XVIII
13	XIII	5	XIX	15	XIII
14	XV	6	XVIII	16	XIV
15	XIV	7	XIX	17	XIX
16	XIX	8	XVIII	18	XVIII
17	XIX	9	XIX	19	XIII
18	XVII	10	XVIII	20	XVIII
19	XIII	11	XIX	21	XIX
20	XVIII	12	XIV	22	XVIII
21	XV	13	XIX	23	XIX
22	XVIII	14	XIX	24	XIII
23	XV	15	XIX	25	XIII
24	XIV	16	XVIII	26	XIX
25	XVIII	17	XIX	27	XVIII
26	XIX	18	V	28	XIII
27	XIX	19	XIX	29	XIX
28	II	20	XIX	30	XII
29	XIX	3, 1	XIX	4, 1	XIII
30	XVII	2	XIX	2	XVIII

Buch	Metrum	Buch	Metrum	Buch	Metrum
4, 3	XIII	4, 8	XII	13	XV
4	XIX	9	XIX	14 .	XIX
5	XIV	10	XVII	15	XIX
6	XVIII	11	XVIII	Carmen Se-	
7	I	12	XIV	culare	XVIII

2) Epoden.

	Metrum		Metrum		Metrum
1	IV	7	IV	13	X
2	IV	8	IV	14	VII
3	IV	9	IV	15	VII
4	IV	10	IV	16	VIII
5	IV	11	IX	17	III
6	IV	12	II